HYPOGLYCÉMIE

Dans la même collection SAVOIR QUOI MANGER

- Alexandra Leduc, *Diabète*, 2013
- Nathalie Verret, *Maladies cardiovasculaires*, 2013
- Marise Charron et Elisabeth Cerqueira, *Arthrite et inflammation*, 2013

© Alexandra Leduc et Les Publications Modus Vivendi inc., 2013

LES PUBLICATIONS MODUS VIVENDI INC.
55, rue Jean-Talon Ouest, 2ᵉ étage
Montréal (Québec) H2R 2W8
CANADA

www.groupemodus.com

Éditeur : Marc Alain
Éditrice déléguée : Isabelle Jodoin
Adjointe à l'édition et réviseure : Nolwenn Gouezel
Designers graphiques : Émilie Houle, Gabrielle Lecomte et Marianne Lapointe
Photographe des recettes et de l'auteure : André Noël
Styliste culinaire : Gabrielle Dalessandro
Photographies supplémentaires : Dreamstime.com
Correctrice : Catherine LeBlanc-Fredette

ISBN 978-2-89523-778-5

Dépôt légal — Bibliothèque et Archives nationales du Québec, 2013
Dépôt légal — Bibliothèque et Archives Canada, 2013

Nous reconnaissons l'aide financière du gouvernement du Canada par l'entremise du Fonds du livre du Canada pour nos activités d'édition.

Gouvernement du Québec — Programme de crédit d'impôt pour l'édition de livres — Gestion SODEC

Imprimé au Canada

SAVOIR
QUOI
MANGER

HYPOGLYCÉMIE

21 JOURS DE MENUS

Alexandra Leduc, nutritionniste-diététiste, Dt.P.

MODUS VIVENDI

TABLE
des matières

Le seul traitement de l'hypoglycémie réactionnelle est l'alimentation. Cet ouvrage sera donc un outil parfait pour vous aider à éviter et à mieux contrôler les crises d'hypoglycémie. Les recommandations que vous y trouverez peuvent s'appliquer à tous, mais sont spécifiquement élaborées pour les personnes souffrant d'hypo-glycémie réactionnelle.

Le type d'hypoglycémie traité dans cet ouvrage n'est pas celui retrouvé chez les personnes diabétiques, mais bel et bien une tout autre pathologie.

Le régime alimentaire proposé dans cet ouvrage se base sur de saines habitudes alimentaires que tout le monde peut suivre. Étant donné que très souvent il est difficile d'avoir un diagnostic ferme concernant l'hypoglycémie réactionnelle, ce régime peut être suivi sans rencontre médicale ou nutritionnelle préalable.

Toutefois, il ne faut pas vous diagnostiquer vous-même, et si vos symptômes sont récurrents, il est alors nécessaire de consulter votre médecin pour vérifier que vous ne souffrez pas d'un autre problème de santé. Une rencontre avec un nutritionniste pourrait aussi être nécessaire pour vous aider à mieux gérer vos symptômes d'hypoglycémie.

L'HYPOGLYCÉMIE RÉACTIONNELLE

Il existe trois critères diagnostiques qui doivent être réunis pour confirmer qu'une personne souffre d'hypoglycémie réactionnelle.

1. Baisse d'énergie subite, fatigue, tremblements, faim intense.
2. Glycémie (taux de sucre dans le sang) inférieure à 3,5 mmol/l au moment des symptômes. (La glycémie normale est située entre 4 et 7 mmol/l.)
3. Disparition des symptômes après l'ingestion de sucre.

La plupart du temps, l'hypoglycémie réactionnelle est légère et disparaît sponta-nément après l'ingestion d'aliments qui fournissent des glucides à l'organisme. Il n'y a alors aucune conséquence grave.

PETIT COURS DE BIOLOGIE

Le principal carburant du corps est ce que l'on appelle les glucides. Le terme glucide est synonyme de sucre. Les glucides proviennent naturellement des aliments comme les fruits, les produits céréaliers, les produits laitiers et certains aliments riches en sucre comme le miel, les confitures ou les desserts commerciaux.

Les glucides, lors de la digestion, sont décomposés en une molécule appelée glucose. Le glucose est absorbé dans le sang à la suite de la digestion. Ainsi, la glycémie (taux de sucre dans le sang) augmente après un repas chez tous les individus.

Lorsque la glycémie s'élève dans le sang, le pancréas sécrète de l'insuline, une hormone qui permet de faire parvenir le sucre dans les cellules. L'insuline agit comme une clé qui ouvre les cellules pour faire entrer le sucre nécessaire au processus énergétique du corps. Ceci permet également de maintenir en tout temps un taux de sucre dans les valeurs normales. Dans cette réaction, il peut arriver que l'insuline soit sécrétée de manière exagérée ou tardive par rapport à la montée de la glycémie. À ce moment-là, une hypoglycémie peut survenir.

LES SYMPTÔMES DE L'HYPOGLYCÉMIE

- Baisse d'énergie
- Pâleur
- Sueurs
- Mal de tête et étourdissement
- Palpitations
- Faim intense ou nausée
- État de faiblesse
- Irritabilité
- Difficulté de concentration

Il est toutefois reconnu que de nombreuses personnes peuvent avoir des symptômes d'hypoglycémie même si leur taux de sucre reste dans les valeurs normales. On nomme cette problématique « pseudo-hypoglycémie ». La médecine n'a pas encore permis d'expliquer pourquoi certaines personnes réagissent à une baisse de la glycémie alors que celle-ci reste supérieure à 4 mmol/l.

Quoi qu'il en soit, la seule façon de traiter l'hypoglycémie, c'est l'alimentation.

LES RECOMMANDATIONS GÉNÉRALES

Il est encore parfois difficile de déterminer les facteurs qui peuvent être reliés à l'hypoglycémie réactionnelle. Cependant, il est reconnu que la plupart des symptômes peuvent être prévenus ou contrôler par un mode de vie équilibré, une alimentation saine, de l'activité physique régulière et une bonne gestion du stress.

UNE ALIMENTATION SAINE

Suivez quotidiennement les recommandations prescrites dans cet ouvrage.

UNE ACTIVITÉ PHYSIQUE RÉGULIÈRE

Faire une activité physique régulièrement favorise le contrôle des hormones qui gèrent la glycémie, et permet ainsi de diminuer le risque d'hypoglycémie réactionnelle. Faites de l'exercice modéré pendant 30 minutes au moins trois fois par semaine pour mieux contrôler votre hypoglycémie.

UNE BONNE GESTION DU STRESS

Il faut comprendre que le stress a un impact sur différentes hormones du corps, dont celles régulant la glycémie. Il est reconnu qu'en période de stress, les personnes souffrant d'hypoglycémie risquent davantage d'avoir des baisses de sucre et des malaises.

Il est donc primordial de bien gérer son stress en trouvant des solutions pour le diminuer et mieux le contrôler. L'activité physique, la relaxation et le yoga ne sont que quelques exemples. Cherchez quotidiennement de nouvelles façons de mieux contrôler votre stress, comme prendre un bon bain, cuisiner ou écouter de la musique.

LES RECOMMANDATIONS ALIMENTAIRES
au quotidien

L'alimentation est la base du traitement. L'objectif est de stabiliser la glycémie et ainsi prévenir les baisses soudaines d'énergie.

Voici les principales recommandations alimentaires pour vous aider à équilibrer votre alimentation et à mieux gérer votre glycémie. Il est également suggéré de vous faire suivre par un ou une nutritionniste, afin d'avoir un plan alimentaire sur mesure, ajusté à votre rythme de vie, votre horaire et vos préférences alimentaires.

LISTE DES RECOMMANDATIONS :

1. Mangez à heures fixes
2. Maintenez une alimentation équilibrée au cours de chaque repas
3. Prévoyez des collations
4. Privilégiez les protéines
5. Consommez des fibres
6. Privilégiez les glucides naturels
7. Évitez les sucres raffinés
8. Limitez votre consommation d'alcool et de caféine
9. Lisez les étiquettes

1 MANGEZ À HEURES FIXES

Consommez trois petits repas par jour à heures fixes et ajoutez trois collations entre les repas. Il est préférable de ne pas surcharger le corps en consommant de gros repas. Ainsi, les trois repas et les trois collations permettent de bien répartir les glucides dans la journée en donnant une énergie constante qui permet d'éviter les hypoglycémies.

Les trois collations ne sont pas obligatoires pour tous. À vous de voir ce qui vous convient.

2 MAINTENEZ UNE ALIMENTATION ÉQUILIBRÉE AU COURS DE CHAQUE REPAS

Vous devez maintenir une alimentation équilibrée au cours de chaque repas.

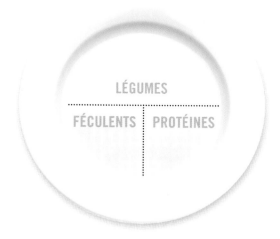

Visez une assiette équilibrée au dîner et au souper.

Chaque repas, choisissez une source de protéines faible en matières grasses, comme les œufs, le poisson, le poulet et les légumineuses, qui comblera le quart de votre assiette. C'est suffisant pour apporter les protéines et les nutriments dont vous avez besoin.

Remplissez l'autre quart de votre assiette avec des féculents à grains entiers (voir page 25).

Garnissez la moitié restante de votre assiette de légumes sous différentes formes (crudités, salades, légumes vapeurs, soupes, etc.).

Fiez-vous à votre faim pour la portion à mettre dans votre assiette. Essayez de manger de tout, mais ne vous forcez pas pour terminer si vous n'avez plus faim. Si vous avez un petit appétit, vous devez particulièrement veiller à consommer des aliments variés tous les jours, et dans les trois groupes (protéines, féculents et légumes) à chaque repas.

Complétez les repas avec un dessert nutritif, si vous avez encore faim, à moins que vous ne décidiez de prendre une collation nutritive plus tard dans la journée ou la soirée.

3 PRÉVOYEZ DES COLLATIONS

Les collations sont fortement recommandées pour contrôler votre hypoglycémie. Manger de plus petits repas et compléter avec les collations peut être une bonne idée. Par contre, ne vous forcez pas à manger votre collation si vous n'avez pas faim. Vous devez apprendre à écouter votre corps et à manger dès que la faim se présente entre les repas pour éviter l'hypoglycémie.

Il est impératif d'être toujours prêt à l'éventualité d'une crise d'hypoglycémie, c'est pourquoi il faut prévoir des collations lorsque vous sortez de la maison ou de votre routine habituelle.

Gardez des amandes, des noix ou des mélanges de fruits séchés et noix dans un sac en plastique ou dans un contenant hermétique. Facile à transporter, ce type de mélange se garde longtemps et dépanne très bien.

Gardez avec vous un fruit (pomme, poire, orange), des jus de fruits 100 % purs, des barres de céréales ou bien des laits et boissons de soya emballés individuellement et qui se conservent à température ambiante.

Les poissons en conserves, comme le thon ou le saumon, sont de bons dépanneurs riches en protéines pour vos repas du midi.

4 PRIVILÉGIEZ LES PROTÉINES

Consommer des aliments riches en protéines est une recommandation de base pour les personnes hypoglycémiques. Il est ainsi recommandé de consommer des protéines non seulement à tous les repas, mais aussi aux collations.

Les protéines sont digérées lentement et fournissent un approvisionnement plus constant d'énergie. Ainsi, la consommation de protéines permet d'éviter les baisses d'énergie soudaines, la fatigue, les fringales et elle diminue les rages de sucré.

Favorisez une variété de sources de protéines végétales et animales. Voici quelques exemples dans chaque catégorie :

- Viande rouge maigre : bœuf haché extra-maigre, veau, porc.

- Viande de bois : orignal, caribou, bison, cerf.

- Volaille : poulet, canard, dinde.

- Poisson : saumon, truite, thon, sole, tilapia.

- Fruits de mer : crevettes, pétoncles, huîtres, homard, crabe.

- Légumineuses : haricots rouges, noirs ou blancs, lentilles, fèves de lima, haricots de lupin, pois chiches.

- Noix et graines : amandes, noisettes, noix du Brésil, beurre de noix, beurre d'arachide naturel, graines de soya, graines de tournesol, graines de lin, graines de chia.

- Soya : tofu soyeux, tofu ordinaire, edamame.

- Œufs.

5 CONSOMMEZ DES FIBRES

Une alimentation riche en fibres est primordiale pour les personnes souffrant d'hypoglycémie. Les fibres se trouvent dans les produits céréaliers à grains entiers, les fruits, les légumes, les noix et les légumineuses. L'action des fibres est mécanique, c'est-à-dire qu'elles gonflent dans l'estomac et augmentent le temps de digestion du repas. Un repas qui se digère plus lentement favorise une absorption plus lente des glucides alimentaires (sucres). Autrement dit, les fibres aident à contrôler la glycémie. Plusieurs études démontrent les bienfaits des fibres dans l'alimentation.

Conseils pour augmenter les fibres dans votre alimentation

- Préférez les pâtes de blé entier aux pâtes blanches, ou faites moitié-moitié si vous n'aimez pas les pâtes brunes.

- Choisissez du riz blanc à grains longs ou du riz brun qui contient au moins 2 g de fibres par portion de 125 ml (½ tasse).

- Consommez au moins quatre portions de légumes par jour.

- Consommez quotidiennement une poignée de noix ou d'amandes.

- Ajoutez des graines de lin moulues, des graines de chia, du son de blé, du son d'avoine, des céréales de type All-Bran ou All-Bran Buds à vos yogourts, pâtes à crêpes, muffins maison, préparations à gâteau et céréales du matin.

- Variez vos sources de produits céréaliers avec de l'avoine (gruau), du quinoa, de l'orge, du couscous de blé entier, du boulgour, du sarrasin et du millet.

6 PRIVILÉGIEZ LES GLUCIDES NATURELS

Un bon contrôle de l'hypoglycémie dépend de bons choix de glucides dans l'alimentation. Voici de bonnes sources de glucides à intégrer dans votre alimentation.

1 portion équivaut à :

- 1 fruit de grosseur moyenne (orange, pêche, pomme, poire, etc.)
- ½ banane ou ½ pamplemousse
- 2 kiwis, 2 prunes ou 2 clémentines
- 3 pruneaux
- 15 gros raisins
- 160 g (1 tasse) de cantaloup, de melon miel, ou de mûres
- 300 g (2 tasses) de fraises entières
- 20 g (2 c. à soupe) de raisins secs
- 100 g (½ tasse) de fruits en morceaux ou de compote de fruits sans sucre ajouté
- 125 ml (½ tasse) de jus de fruits 100 % pur sans sucre ajouté

1 portion équivaut à :

- 1 tranche de pain de grains entiers
- ½ pain pita ou ½ pain à hamburger de grains entiers
- 4 biscottes (type Toast Melba)
- ½ pomme de terre de grosseur moyenne (avec pelure idéalement)
- 110 g (½ tasse) de pommes de terre en purée
- 60 g (⅓ tasse) de riz, de couscous ou d'orge cuit
- 50 g (⅓ tasse) de pâtes de blé entier cuites
- 80 g (½ tasse) de maïs en grains ou ½ épi de maïs
- 100 g (½ tasse) de légumineuses cuites (fèves au lard, lentilles, etc.)
- 75 g (⅓ tasse) de pois chiches cuits
- 20 g (½ tasse) de céréales à petit-déjeuner peu sucrées, contenant au moins 2 g de fibres par portion

1 portion équivaut à :

- 250 ml (1 tasse) de lait
- 250 ml (1 tasse) de boisson de soya enrichie nature
- 175 g (⅔ tasse) de yogourt nature
- 2 pots de 100 g (3 ½ oz) de yogourt aux fruits ou aromatisé, sans gras et sans sucre ajouté
- 1 pot de 100 g (3 ½ oz) de yogourt aux fruits ou aromatisé (vanille, café, etc.)

7 ÉVITEZ LES SUCRES RAFFINÉS

Pour arriver à bien contrôler l'hypoglycémie, il est nécessaire de diminuer au maximum, voire d'éliminer, les sucres raffinés. Si vous en consommez, ne les prenez jamais seuls. Consommez-les à l'intérieur d'un repas ou d'une collation, ou avec un aliment riche en protéines. Les sucres concentrés sont absorbés rapidement et provoquent une hausse rapide de la glycémie suivie la plupart du temps par une baisse rapide de la glycémie.

Voici des aliments riches en sucres raffinés qui sont à éviter :

- Biscuits, pâtisseries, gâteaux, tartes, crèmes glacées, sucettes glacées
- Sucre blanc, miel, sirop d'érable
- Boissons gazeuses, jus et cocktails aux fruits
- Bonbons, friandises au chocolat

Évitez également les produits céréaliers raffinés qui ne contiennent pas de fibres et qui peuvent également contribuer à l'hypoglycémie :

- Pain tranché blanc, pain blanc à hamburger et à hot dog, pâtes alimentaires blanches, riz blanc, pâte à pizza, beignets, muffins du commerce, gaufres, croissants, etc.
- Céréales pour petit-déjeuner sans fibres et sucrées

Conseils pour réduire les sucres raffinés dans votre alimentation

- Cuisinez vos repas et collations le plus souvent possible et réduisez de moitié le sucre demandé dans les recettes. Vous pourriez également choisir de la compote de pommes sans sucre ajouté pour remplacer le sucre dans certaines recettes.
- Cuisinez avec de bons ingrédients comme des légumes, des fruits, des produits céréaliers à grains entiers.
- Évitez les desserts du commerce.
- Apprenez à lire l'étiquette nutritionnelle et à regarder la liste des ingrédients. Recherchez des produits pour lesquels le sucre n'est pas dans les trois premiers ingrédients de la liste.
- Évitez les produits raffinés cités précédemment.
- Remplacez les produits céréaliers blancs par des produits à grains entiers.
- N'ajoutez pas de sucre blanc (ou essayez de diminuer la quantité) dans vos céréales, café et thé.
- Préférez l'eau, l'eau minérale, le thé ou le café sans sucre aux jus et aux boissons gazeuses, même si elles sont étiquetées « diète ».

8 LIMITEZ VOTRE CONSOMMATION D'ALCOOL ET DE CAFÉINE

L'alcool pris à jeun inhibe certains mécanismes de régulation du sucre sanguin et la caféine agit comme stimulant sur le système hormonal. Ces deux boissons sont donc reconnues pour augmenter les risques d'hypoglycémie, peu importe le moment de la journée où ils sont consommés.

Si vous désirez vraiment en consommer, il est conseillé de les prendre en mangeant, d'éviter le café à jeun le matin, ainsi que l'alcool à jeun avant les repas (en apéritif par exemple).

9 LISEZ LES ÉTIQUETTES

Voici ce qu'il faut particulièrement regarder sur l'étiquette nutritionnelle pour une personne hypoglycémique lors du choix d'un aliment en épicerie.

Valeur nutritive par portion	
Teneur	
Calories 423	
Lipides 15 g	
Sodium 587 mg	
Glucides 45 g	
fibres 6 g	
Protéines 30 g	

Glucides (en g) : Indique la quantité totale de glucides qui comprend les fibres, les sucres et l'amidon (rarement indiqué sur l'étiquette).

Fibres (en g) : Les fibres alimentaires n'ont aucun effet sur la glycémie; elles doivent donc être soustraites du total des glucides. Plus il y a de fibres, meilleur est votre choix.

Sucres (en g) : Indique la quantité de sucre qui se trouve naturellement dans les fruits et le lait, ainsi que les sucres ajoutés (comme le sucre blanc, la cassonade, le miel et la mélasse). Ainsi, il est normal pour un verre de lait d'avoir du sucre (sucre naturel). Pour savoir si un aliment contient du sucre ajouté, lisez la liste des ingrédients et vérifiez s'il y est écrit sucre, glucose, fructose, miel, sirop d'érable, cassonade, sirop de maïs ou sirop de riz brun.

LES ALIMENTS À PRIVILÉGIER

FÉCULENTS

Pain à grains entiers, pâtes de blé entier, riz brun à grains longs, couscous de blé entier, farine de blé entier, quinoa, orge, millet.

LÉGUMINEUSES

Lentilles, haricots rouges, pois chiches, pois cassés.

LÉGUMES

La moitié de l'assiette à chaque repas.

FRUITS FRAIS

Au minimum deux portions par jour.

POISSONS ET FRUITS DE MER

Au minimum deux fois par semaine.

PROTÉINES ANIMALES MAIGRES

Poulet, bœuf maigre, œuf, porc.

PROTÉINES VÉGÉTALES

Noix, amandes, tofu, noix de tournesol, noix de soya, noix de Grenoble, boisson de soya.

HUILES VÉGÉTALES

Huile d'olive, huile de canola, huile de tournesol.

PLATS CUISINÉS À LA VAPEUR, EN PAPILLOTE OU GRILLÉS

DESSERTS MAISON AVEC MOINS DE SUCRE

PRODUITS LAITIERS MAIGRES

Lait 1% M.G., fromage 20 % M.G. et moins, yogourt.

LES ALIMENTS À ÉVITER

SUCRES RAFFINÉS

Sucre blanc, bonbons, confiture, miel, pâtisseries, crèmes glacées, sorbets, fruits confits, gâteaux, beignes, boissons gazeuses, jus ou cocktails de fruits, biscuits, céréales à petit-déjeuner sucrées, pâte à pizza, pain blanc, pâtes blanches, sirop d'érable, chocolat.

GRAISSES ANIMALES

Beurre, crème fraîche épaisse, saindoux, charcuterie, viande grasse, fromage, crème 35 %.

ALIMENTS TRÈS SALÉS

Charcuterie, biscuits d'apéritif, soupes en conserve, jus de légumes, marinades.

ALIMENTS RICHES EN GRAS

Fritures, pâtisseries, pâtés, tartes, sauces à base de crème, croustilles, aliments panés.

ALCOOL ET CAFÉ

RECOMMANDATIONS ALIMENTAIRES
en cas de crise

En cas de crise, il faut absolument consommer une source de sucre rapide. Vous pouvez, par exemple, consommer un fruit ou un jus de fruits, un muffin maison, une barre de céréales ou un yogourt aux fruits.

Il est également nécessaire d'ajouter une source de protéines comme des amandes, un morceau de fromage ou un verre de lait, 10 à 15 minutes plus tard afin d'éviter une autre baisse de la glycémie.

Si le repas est proche, consommez un aliment riche en sucre rapidement puis prenez votre repas.

LES MENUS
21 JOURS

Les menus de cet ouvrage ont été développés afin que vous ayez tous les nutriments et l'énergie nécessaires pour chaque journée. Les repas et les collations sont interchangeables d'une journée à l'autre.

Vous remarquerez que, dans cet ouvrage, les repas du midi sont la plupart du temps les restes du soir précédent. Vous devez donc ajuster les portions en doublant au besoin vos recettes pour avoir des restes pour le lendemain.

Planifiez votre semaine avec les menus et préparez votre liste d'épicerie afin d'acheter les ingrédients qu'il vous manque pour préparer les recettes.

Si vous avez des questions ou que vous souffrez régulièrement d'hypoglycémie même en suivant les menus, il est fortement conseillé de rencontrer une nutritionniste qui saura adapter les menus et les portions selon vos besoins personnels.

JOUR 1

MATIN

Gruau énergie (p. 60)

Collation
15 raisins verts ou rouges
25 g de fromage

MIDI

Salade de pois chiches (p. 73)

Collation
2 boules cacao sans cuisson (p. 122)

SOIR

Burgers de saumon (p. 74)

Collation
250 ml (1 tasse) de lait
ou de boisson de soya nature

JOUR 2

MATIN

1 ou 2 tranches de pain complet
15 g (1 c. à soupe) de beurre de noisettes au cacao (p. 66)

Collation
Smoothie tropical (p. 124)

MIDI

Burgers de saumon (p. 74)

Collation
4 ou 5 craquelins de grains
entiers et houmous

SOIR

Poulet au parmesan et à la bruschetta (p. 76)

Collation
Panna cotta à l'orange (p. 127)

JOUR 3

MATIN

1 yogourt nature avec un filet de sirop d'érable
35 g (¼ tasse) d'amandes
½ banane

Collation
2 boules cacao sans cuisson (p. 122)

MIDI

Poulet au parmesan et à la bruschetta (p. 76)

Collation
1 poire
1 yogourt

SOIR

Potage aux lentilles et aux carottes (p. 78)

Collation
1 tranche de pain de grains entiers grillée
15 g (1 c. à soupe) de beurre
d'arachide naturel

JOUR 4

MATIN

180 ml (¾ tasse) de céréales riches en fibres
125 ml (½ tasse) de lait
1 fruit

Collation
35 g (¼ tasse) de mélange d'amandes
et de canneberges séchées

MIDI

Potage aux lentilles et aux carottes (p. 78)

Collation
1 orange
40 g (¼ tasse) de noix de soya

SOIR

Salade de pâtes aux œufs (p. 80)

Collation
1 yogourt
4 petits biscuits secs

JOUR 5

MATIN

175 g (¾ tasse) de fromage cottage
100 g (½ tasse) de fruits frais
1 tranche de pain de grains entiers

Collation
1 yogourt aux fruits

MIDI

Salade de pois chiches (p. 73)

Collation
15 raisins verts ou rouges
25 g de fromage

SOIR

Rouleaux de printemps aux crevettes (p. 83)

Collation
2 boules cacao sans cuisson (p. 122)
125 ml (½ tasse) de lait ou de boisson de soya nature

JOUR 6

MATIN

2 tranches de pain doré aux fruits (p. 62)

Collation
10 amandes
1 pomme

MIDI

50 g de fromage
Crudités
Craquelins

Collation
80 g (½ tasse) d'ananas
1 yogourt

SOIR

Filet de porc avec salade de courgettes (p. 84)

Collation
125 ml (½ tasse) de céréales riches en fibres
125 ml (½ tasse) de lait ou de boisson de soya nature

JOUR 7

MATIN

Pouding de chia au cacao (p. 64)

Collation
4 ou 5 craquelins de grains entiers et houmous

MIDI

Filet de porc avec salade de courgettes (p. 84)

Collation
Smoothie tropical (p. 124)

SOIR

Frites de tofu avec salade de quinoa (p. 87)

Collation
500 ml (2 tasses) de maïs soufflé maison
250 ml (1 tasse) de lait ou de boisson de soya nature

JOUR 8

MATIN

1 ou 2 tranches de pain grillées
15 g (1 c. à soupe) de beurre de noisettes au cacao (p. 66)
½ banane

Collation
2 boules cacao sans cuisson (p. 122)

MIDI

Mousse de thon (p. 88)
Craquelins

Collation
Panna cotta à l'orange (p. 127)

SOIR

Lanières de bœuf teriyaki (p. 90)

Collation
1 fruit
125 ml (½ tasse) de lait ou de boisson de soya nature

JOUR 9

MATIN

180 ml (¾ tasse) de céréales riches en fibres
125 ml (½ tasse) de lait ou de boisson de soya nature
1 fruit

Collation
1 muffin à l'ananas et aux courgettes (p. 128)
10 amandes

MIDI

Lanières de bœuf teriyaki (p. 90)

Collation
1 poire
40 g (¼ tasse) de graines de soya

SOIR

Salade mexicaine dans son bol de tortilla (p. 92)

Collation
1 yogourt
4 petits biscuits secs

JOUR 10

MATIN

Gruau énergie (p. 60)

Collation
10 amandes
1 pomme

MIDI

Salade mexicaine dans son bol de tortilla (p. 92)

Collation
1 muffin à l'ananas et aux courgettes (p. 128)
125 ml (½ tasse) de lait ou de boisson de soya nature

SOIR

Salade de quinoa au poulet (p. 94)

Collation
Panna cotta à l'orange (p. 127)

JOUR 11

MATIN

Pouding de chia au cacao (p. 64)

Collation
2 boules cacao sans cuisson (p. 122)

MIDI

Salade de quinoa au poulet (p. 94)

Collation
1 pomme
25 g de fromage

SOIR

Tilapia à la sauce au citron (p. 96)

Collation
1 tranche de pain de grains entiers grillée
15 g (1 c. à soupe) de beurre d'arachide naturel

JOUR 12

MATIN

1 ou 2 tranches de pain complet
15 g (1 c. à soupe) de beurre de noix ou d'arachide

Collation
Une dizaine de noix grillées BBQ (p. 131)
1 poire

MIDI

Mousse de tofu avec pita (p. 98)

Collation
1 orange
1 yogourt nature

SOIR

Omelette aux deux fromages (p. 100)

Collation
125 ml (½ tasse) de céréales riches en fibres
125 ml (½ tasse) de lait ou de boisson de soya nature

JOUR 13

MATIN

Pouding de chia au cacao (p. 64)

Collation
Panna cotta à l'orange (p. 127)

MIDI

Omelette aux deux fromages (p. 100)

Collation
1 muffin à l'ananas et aux courgettes (p. 128)
10 amandes

SOIR

Cannellonis tournesol (p. 102)

Collation
500 ml (2 tasses) de maïs soufflé maison
250 ml (1 tasse) de lait ou de boisson de soya nature

JOUR 14

MATIN

Crêpes de sarrasin avec compote de mangues (p. 68)

Collation
10 amandes
1 pomme

MIDI

Cannellonis tournesol (p. 102)

Collation
Une dizaine de noix grillées BBQ (p. 131)
80 g (½ tasse) d'ananas

SOIR

Pâtes aux saucisses italiennes (p. 104)

Collation
1 yogourt
4 petits biscuits secs

JOUR 15

MATIN

175 g (¾ tasse) de fromage cottage
100 g (½ tasse) de fruits frais
1 tranche de pain de grains entiers

Collation
1 pomme
Une dizaine de noix grillées BBQ (p. 131)

MIDI

Pâtes aux saucisses italiennes (p. 104)

Collation
Salade de fruits (p. 133)
125 ml (½ tasse) de lait ou de boisson de soya nature

SOIR

Soupe ramen au porc (p. 106)

Collation
1 yogourt
4 petits biscuits secs

JOUR 16

MATIN

Pouding de chia au cacao (p. 64)

Collation
2 boules cacao sans cuisson (p. 122)

MIDI

Fromage de chèvre aux herbes (p. 108)
Craquelins

Collation
Salade de fruits (p. 133)
125 ml (½ tasse) de lait ou de boisson de soya nature

SOIR

Boulettes de veau avec du riz (p. 111)

Collation
Panna cotta à l'orange (p. 127)

JOUR 17

MATIN

1 yogourt nature avec un filet de sirop d'érable
35 g (¼ tasse) d'amandes
½ banane

Collation
Croustade aux amandes
et aux framboises (p. 134)

MIDI

Boulettes de veau avec du riz (p. 111)

Collation
1 poire
1 yogourt

SOIR

Croquettes de légumineuses avec salade (p. 113)

Collation
1 tranche de pain de grains entiers grillée
15 g (1 c. à soupe) de beurre d'arachide naturel

JOUR 18

MATIN

Crêpes de sarrasin avec compote de mangues (p. 68)
1 yogourt aux fruits

Collation
35 g (¼ tasse) de mélange d'amandes
et de canneberges séchées

MIDI

Croquettes de légumineuses avec salade (p. 113)

Collation
Croustade aux amandes
et aux framboises (p. 134)

SOIR

Crêpes roulées au jambon et aux asperges (p. 114)

Collation
125 ml (½ tasse) de lait
ou de boisson de soya nature

4 petits biscuits secs

JOUR 19

MATIN

1 ou 2 tranches de pain complet
15 g (1 c. à soupe) de beurre de noisettes au cacao (p. 66)

Collation
Panna cotta à l'orange (p. 127)

MIDI

Crêpes roulées au jambon et aux asperges (p.114)

Collation
1 banane
1 yogourt

SOIR

Truite à la méditerranéenne (p. 116)

Collation
125 ml (½ tasse) de céréales riches en fibres
125 ml (½ tasse) de lait ou de boisson de soya nature

JOUR 20

MATIN

Tofu déjeuner (p. 70)

Collation
Salade de fruits (p. 133)
10 amandes

MIDI

Truite à la méditerranéenne (p. 116)

Collation
1 muffin à l'ananas et aux courgettes (p. 128)
125 ml (½ tasse) de lait ou de boisson de soya nature

SOIR

Casserole de poulet au citron (p. 118)

Collation
Croustade aux amandes
et aux framboises (p. 134)

JOUR 21

MATIN

180 ml (¾ tasse) de céréales riches en fibres
125 ml (½ tasse) de lait ou de boisson de soya nature
1 fruit

Collation
2 boules cacao sans cuisson (p. 122)

MIDI

Casserole de poulet au citron (p. 118)

Collation
Panna cotta à l'orange (p. 127)

SOIR

Crevettes à la noix de coco (p. 121)

Collation
Salade de fruits (p. 133)
1 yogourt

LES RECETTES
38 IDÉES SANTÉ

Voici 38 recettes qui vous permettront de manger sainement tout en cuisinant simplement.

Tout au long de l'ouvrage, vous trouverez également des capsules INFO GLYCÉMIE qui vous renseigneront sur l'avantage de plusieurs aliments pour votre santé et pour le contrôle de votre glycémie.

GRUAU
énergie

1 portion • **PRÉPARATION** : 5 minutes • **CUISSON** : 3 minutes

INGRÉDIENTS

180 ml (¾ tasse) de lait

60 ml (¼ tasse) de compote
de pommes sans sucre

45 g (½ tasse) de flocons d'avoine
(cuisson lente)

½ banane

30 g (1 c. à soupe) de graines de
chanvre ou autres graines au choix

PRÉPARATION

Mélanger le lait, la compote de pommes et
les flocons d'avoine.

Faire cuire au four à micro-ondes pendant
3 minutes en remuant toutes les minutes.

Une fois cuit, ajouter la banane et les graines
de chanvre.

. . . .

VARIANTE

Pour agrémenter votre gruau, choisissez
différents fruits et graines. Les graines de
chia, de tournesol et de lin se marient bien
avec le gruau et permettent d'augmenter
vos apports en protéines et en fibres.

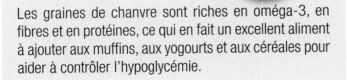

INFO GLYCÉMIE

. . . .

Les graines de chanvre sont riches en oméga-3, en
fibres et en protéines, ce qui en fait un excellent aliment
à ajouter aux muffins, aux yogourts et aux céréales pour
aider à contrôler l'hypoglycémie.

Valeur nutritive par portion	
Teneur	
Calories 436	
Lipides 11 g	
Sodium 90 mg	
Glucides 65 g	
fibres 10 g	
Protéines 15 g	

PAIN DORÉ
aux fruits

4 portions • PRÉPARATION : 10 minutes • CUISSON : 20 minutes

INGRÉDIENTS

125 ml (½ tasse) de compote de pommes sans sucre ajouté

260 g (2 tasses) de bleuets ou de framboises fraîches ou congelées

4 œufs

45 ml (3 c. à soupe) de lait

15 ml (1 c. à soupe) de sirop d'érable ou de miel

5 ml (1 c. à thé) de cannelle

8 tranches de pain de grains entiers

PRÉPARATION

Dans une casserole, mélanger la compote de pommes et les fruits. Faire chauffer à feu moyen pendant environ 10 minutes pour réduire les fruits en compote.

Dans un bol, mélanger les œufs, le lait, le sirop d'érable et la cannelle.

Tremper les tranches de pain de chaque côté dans le mélange. Dans une grande poêle légèrement huilée, faire cuire à feu moyen 4 tranches de pain à la fois. Les cuire pendant environ 3 minutes de chaque côté.

Napper le pain de doré de compote de fruits et servir 2 tranches par personne.

INFO GLYCÉMIE

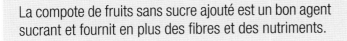

La compote de fruits sans sucre ajouté est un bon agent sucrant et fournit en plus des fibres et des nutriments.

Valeur nutritive par portion	
Teneur	
Calories 300	
Lipides 8 g	
Sodium 360 mg	
Glucides 42 g	
fibres 9 g	
Protéines 15 g	

POUDING DE CHIA
au cacao

1 portion • PRÉPARATION : 20 minutes

INGRÉDIENTS

5 ml (1 c. à thé) de miel

40 g (¼ tasse) de graines de chia

7 g (1 c. à soupe) de cacao en poudre sans sucre ajouté

180 ml (¾ tasse) de lait ou de boisson de soya

½ banane ou autre fruit au goût

PRÉPARATION

Faire chauffer le miel au four à micro-ondes pendant 10 secondes.

Dans un bol, mélanger les graines de chia, le cacao, le miel et le lait. Bien mélanger pour dissoudre le cacao. Laisser reposer pendant 15 minutes.

Garnir de morceaux de banane (ou autre fruit au goût) avant de servir.

INFO GLYCÉMIE

La graine de chia contient en grandes quantités des fibres solubles. Ce type de fibres aide à ralentir la digestion et donc à contrôler l'appétit. Vous pouvez utiliser la graine de chia dans vos pains et muffins, ou tout simplement l'ajouter à votre yogourt pour une collation rassasiante.

Valeur nutritive par portion	
Teneur	
Calories 378	
Lipides 16 g	
Sodium 95 mg	
Glucides 50 g	
fibres 19 g	
Protéines 15 g	

BEURRE DE NOISETTES
au cacao

500 g (2 tasses) • PRÉPARATION : 10 minutes • CUISSON : 2 minutes

INGRÉDIENTS

290 g (2 tasses) de noisettes entières

55 g (½ tasse) de cacao en poudre sans sucre

100 g (¼ tasse) de sucre

250 ml (1 tasse) de compote de pommes sans sucre

PRÉPARATION

Dans une poêle, à feu élevé, faire griller à sec (sans huile) les noisettes pendant environ 2 minutes.

Une fois bien grillées, broyer les noisettes dans un robot culinaire jusqu'à l'obtention d'une poudre fine, pendant 3 à 4 minutes au moins, selon le robot.

Ajouter le cacao, le sucre puis la compote de pommes dans le robot culinaire. Bien mélanger.

· · · · · · · · · · · · · · · ·

SUGGESTION

Ce beurre de noisettes est excellent pour remplacer le beurre d'arachides sur du pain grillé le matin ou pour les moments où le goût de sucré se fait sentir. Il se conserve 7 jours au réfrigérateur.

Valeur nutritive par portion de 15 g (1 c. à soupe)	
Teneur	
Calories 62	
Lipides 5 g	
Sodium 0 mg	
Glucides 5 g	
fibres 1 g	
Protéines 2 g	

INFO GLYCÉMIE

· ·

Les noisettes sont riches en fibres, en protéines et en magnésium, des nutriments intéressants pour contrôler la glycémie.

CRÊPES DE SARRASIN
avec compote de mangues

6 portions • PRÉPARATION : 15 minutes • CUISSON : 25 minutes

INGRÉDIENTS

600 g (4 tasses) de mangues fraîches ou congelées

30 ml (2 c. à soupe) de miel

150 g (1 tasse) de farine de sarrasin

2 ml (½ c. à thé) de levure chimique

25 g (2 c. à soupe) de sucre

500 ml (2 tasses) de lait

PRÉPARATION

Dans une casserole, faire cuire à feu moyen les mangues avec le miel pendant environ 15 minutes pour former une compote.

Mélanger la farine, la levure chimique et le sucre puis ajouter graduellement le lait pour faire la pâte à crêpes.

Dans une poêle chaude légèrement huilée, verser une louche de pâte. Faire cuire les crêpes 2 à 3 minutes de chaque côté.

Servir avec la compote de mangues chaude.

. . . .

SUGGESTION

Vous pouvez aussi garnir vos crêpes avec du beurre de noisettes au cacao (voir page 66).

INFO GLYCÉMIE

La farine de sarrasin est un choix intéressant pour varier les produits céréaliers dans l'alimentation. Sans gluten, cette farine est riche en fibres solubles qui aident à contrôler la glycémie. La farine de sarrasin est également riche en nutriments, comme le magnésium et le zinc, qui contribuent notamment à l'équilibre de la glycémie.

Valeur nutritive par portion	
Teneur	
Calories 202	
Lipides 1 g	
Sodium 24 mg	
Glucides 46 g	
fibres 4 g	
Protéines 5 g	

TOFU
déjeuner

2 portions • PRÉPARATION : 5 minutes • CUISSON : 10 minutes

INGRÉDIENTS

15 ml (1 c. à soupe) d'huile de canola

1 petit oignon, haché

1 poivron rouge, coupé en morceaux

1 bloc de 454 g (16 oz) de tofu ferme, émietté

25 g (¼ tasse) de fromage râpé

6 à 7 tranches de saumon fumé (facultatif)

4 tranches de pain de grains entiers, grillées (facultatif)

ASSAISONNEMENTS

2 ml (½ c. à thé) de curcuma

5 ml (1 c. à thé) de persil séché

5 ml (1 c. à thé) de poudre d'ail

7 ml (1 ½ c. à thé) de poudre de chili

Sel et poivre

PRÉPARATION

Dans une poêle, faire revenir l'huile et l'oignon pendant 1 minute. Ajouter ensuite le poivron rouge, le tofu, les assaisonnements et 125 ml (½ tasse) d'eau. Bien mélanger et laisser cuire pendant 6 à 7 minutes. Parsemer le fromage et laisser fondre.

Si désiré, garnir chaque assiette de saumon fumé et ajouter 2 tranches de pain de grains entiers pour compléter le repas.

INFO GLYCÉMIE

Le tofu est une source de protéines végétales; c'est un excellent substitut pour la viande. Riche en fibres et en gras mono-insaturés (bons gras), le tofu est un ingrédient idéal à intégrer dans l'alimentation pour aider à gérer la glycémie.

Valeur nutritive par portion	
Teneur	
Calories 330	
Lipides 17 g	
Sodium 550 mg	
Glucides 30 g	
fibres 5 g	
Protéines 30 g	

4 portions • PRÉPARATION : 10 minutes

PRÉPARATION

Dans un grand bol, mélanger les pois chiches, le féta, les pommes, les carottes et le poivron.

Dans un petit bol, mélanger l'huile d'olive, le vinaigre balsamique et les assaisonnements.

Bien mélanger la salade et ajuster les assaisonnements au goût.

INGRÉDIENTS

2 boîtes de 540 ml (19 oz) de pois chiches, rincés

80 g (½ tasse) de fromage féta en cubes

3 petites pommes rouges, coupées en morceaux

2 carottes, pelées et coupées en cubes

1 poivron rouge, coupé en morceaux

45 ml (3 c. à soupe) d'huile d'olive

5 ml (1 c. à thé) de vinaigre balsamique

ASSAISONNEMENTS

15 ml (1 c. à soupe) de persil

5 ml (1 c. à thé) de basilic

5 ml (1 c. à thé) d'origan

Sel et poivre

INFO GLYCÉMIE

Le pois chiche est une légumineuse riche en fibres et en protéines. Il peut remplacer la viande et le féculent dans l'assiette équilibrée et aide à contrôler l'énergie.

Valeur nutritive par portion	
Teneur	
Calories 500	
Lipides 19 g	
Sodium 250 mg	
Glucides 67 g	
fibres 11 g	
Protéines 19 g	

BURGERS
de saumon

4 portions • PRÉPARATION : 15 minutes • CUISSON : 15 minutes

INGRÉDIENTS

2 boîtes de saumon de 213 g (7 ½ oz) ou 1 gros filet de saumon cuit

100 g (1 tasse) de chapelure

15 ml (1 c. à soupe) de moutarde de Dijon

2 œufs

1 poivron rouge, haché finement

1 petit oignon, haché finement

4 pains à hamburgers de grains entiers

Condiments au choix, pour la garniture

130 g (4 tasses) de jeunes pousses d'épinards ou autre laitue au choix

45 ml (3 c. à soupe) d'huile d'olive

15 ml (1 c. à soupe) de jus de citron frais

ASSAISONNEMENTS

7 ml (½ c. à soupe) de poudre d'ail

5 ml (1 c. à thé) de poudre de paprika

Sel et poivre

PRÉPARATION

Enlever les petits os ou piler le saumon en conserve pour obtenir une texture homogène.

Dans un grand bol, mélanger le saumon, la chapelure, la moutarde, les œufs, le poivron, l'oignon et les assaisonnements. Façonner des boulettes avec les mains.

Faire cuire les boulettes dans une poêle chaude légèrement huilée pendant environ 2 à 3 minutes de chaque côté.

Garnir le pain à hamburger d'une boulette et de condiments au choix.

Mélanger les jeunes pousses d'épinards avec l'huile d'olive et le jus de citron. Saler et poivrer au goût. Servir en accompagnement du hamburger.

• • • • • • • • • • • • • • •

CONSEIL PRATIQUE

Ces boulettes se congèlent bien et peuvent être dégelées au four à micro-ondes pour un repas sur le pouce.

Valeur nutritive par portion	
Teneur	
Calories 510	
Lipides 19 g	
Sodium 575 mg	
Glucides 44 g	
fibres 6 g	
Protéines 40 g	

POULET AU PARMESAN
et à la bruschetta

5 portions • PRÉPARATION : 15 minutes • CUISSON : 30 minutes

INGRÉDIENTS

285 g (1 ½ tasse) de riz à grains longs ou de riz basmati à grains longs

20 g (¼ tasse) de parmesan

80 g (¾ tasse) de chapelure

60 ml (¼ tasse) d'huile de canola

2 grosses ou 4 petites poitrines de poulet, désossées (environ 454 g [1 lb])

475 g (2 ½ tasses) de tomates en dés égouttées, ou 5 tomates fraîches, coupées en dés

300 g (3 tasses) de brocoli en morceaux

ASSAISONNEMENTS

15 ml (1 c. à soupe) de poudre d'ail

Sel et poivre

15 ml (1 c. à soupe) de basilic séché

PRÉPARATION

Préchauffer le four à 180 °C (350 °F).

Remplir d'eau une casserole de taille moyenne et porter à ébullition. Verser le riz et faire mijoter pendant 10 à 12 minutes. Laisser ensuite reposer 5 minutes, puis drainer l'eau restante.

Dans un bol, mélanger le parmesan, la chapelure, la poudre d'ail, un peu de sel et de poivre.

Dans un autre bol, verser l'huile de canola. À l'aide d'une pince, tremper le poulet dans l'huile puis le passer dans le mélange sec pour bien l'enrober. Déposer les poitrines de poulet dans un plat allant au four et faire cuire au centre du four pendant environ 20 minutes.

Pendant ce temps, mélanger les tomates avec le basilic. Saler et poivrer. Faire chauffer au four à micro-ondes pendant 1 minute.

À mi-cuisson du poulet, ajouter le brocoli autour du poulet puis terminer la cuisson.

Servir le poulet, le riz et les brocolis, nappés de bruschetta.

Valeur nutritive par portion	
Teneur	
Calories 500	
Lipides 20 g	
Sodium 567 mg	
Glucides 45 g	
fibres 5 g	
Protéines 35 g	

POTAGE AUX LENTILLES
et aux carottes

6 portions • **PRÉPARATION** : 10 minutes • **CUISSON** : 30 minutes

INGRÉDIENTS

250 g (2 tasses) de carottes pelées
et coupées en tronçons

1 petit oignon, haché

380 g (2 tasses) de lentilles rouges
sèches

1 l (4 tasses) de bouillon de poulet

4 tranches de pain de grains entiers
ou 60 g (2 tasses) de croûtons
de blé entier

ASSAISONNEMENTS

2 ml (½ c. à thé) de poudre de cari

30 ml (2 c. à soupe) de poudre d'ail

15 ml (1 c. à soupe) de paprika

15 ml (1 c. à soupe) de thym séché

Sel et poivre

PRÉPARATION

Mélanger tous les ingrédients, sauf le pain, avec 750 ml (3 tasses) d'eau dans une grande casserole, puis amener à ébullition. Laisser ensuite mijoter pendant 30 minutes jusqu'à ce que les carottes soient bien cuites.

Passer la soupe au robot culinaire ou au pied-mélangeur et laisser reposer 5 minutes.

Pendant ce temps, faire griller le pain puis le couper en cubes. Garnir la soupe de morceaux de pain ou de croûtons.

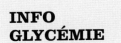

INFO GLYCÉMIE

Les carottes cuites sont riches en fibres solubles, un type de fibres qui aide à gérer la glycémie.

Valeur nutritive par portion	
Teneur	
Calories 320	
Lipides 2,25 g	
Sodium 522 mg	
Glucides 55 g	
fibres 10 g	
Protéines 23 g	

SALADE DE PÂTES
aux œufs

4 portions • PRÉPARATION : 10 minutes • CUISSON : 25 minutes

INGRÉDIENTS

280 g (2 tasses) de macaronis de blé entier non cuits

8 œufs

15 ml (1 c. à soupe) de mayonnaise légère

15 g (1 c. à soupe) de yogourt nature

15 ml (1 c. à soupe) de jus de citron

1 poivron rouge, coupé en petits morceaux

1 courgette, coupée en morceaux

ASSAISONNEMENTS

5 ml (1 c. à thé) de persil séché

15 ml (1 c. à soupe) de poudre d'ail

Sel et poivre

PRÉPARATION

Faire cuire les macaronis dans une casserole d'eau bouillante pendant environ 15 minutes ou jusqu'à ce que les pâtes soient cuites.

Pendant ce temps, remplir d'eau aux trois quarts une casserole de taille moyenne, amener l'eau à ébullition puis immerger les œufs délicatement. Baisser le feu à puissance moyenne, et faire cuire les œufs pendant 7 minutes. Les rincer immédiatement dans de l'eau froide, enlever les coquilles puis les couper en tranches.

Mélanger la mayonnaise, le yogourt nature, le jus de citron et les assaisonnements.

Égoutter les pâtes une fois cuites, mélanger avec les légumes et la vinaigrette. Répartir dans les assiettes, puis garnir avec les tranches d'œufs (environ 2 œufs par personne).

Valeur nutritive par portion	
Teneur	
Calories 385	
Lipides 13 g	
Sodium 175 mg	
Glucides 48 g	
fibres 6 g	
Protéines 22 g	

ROULEAUX DE PRINTEMPS
aux crevettes

4 portions • PRÉPARATION : 25 minutes • CUISSON : 10 minutes

PRÉPARATION

Dans une poêle, faire chauffer l'huile de sésame et cuire les crevettes à feu moyen avec le gingembre pendant 2 à 3 minutes.

Dans un grand bol, immerger les nouilles de riz dans 1 l (4 tasses) d'eau bouillante. Laisser reposer 5 minutes.

Déposer les crevettes cuites dans un petit plat, la carotte dans un autre, et mettre à disposition les feuilles de menthe. Préparer un grand plat d'eau chaude (non bouillante) pour y immerger les feuilles de riz. Égoutter les nouilles de riz et les laisser dans leur bol. Sur le plan de travail, placer un linge propre.

Prendre une feuille de riz sèche, la tremper dans l'eau chaude pendant environ 2 secondes des deux côtés puis la placer sur le linge. La feuille de riz devrait se ramollir et devenir collante (il ne faut pas la laisser tremper trop longtemps sinon elle risque de se déchirer).

Placer au centre de la feuille une poignée de nouilles de riz, quelques crevettes, 7 g (1 c. à soupe) de carotte et quelques morceaux de feuilles de menthe.

Pour rouler, rabattre deux côtés de la feuille sur la garniture, puis rouler le rouleau à partir d'un côté non rabattu. Répéter pour chaque rouleau.

Faire chauffer le beurre d'arachide pendant 20 secondes au four à micro-ondes. Mélanger avec la sauce soya, le sucre et 15 ml (1 c. à soupe) d'eau.

INGRÉDIENTS

15 ml (1 c. à soupe) d'huile de sésame

300 g (2 tasses) de petites ou moyennes crevettes surgelées décongelées

15 ml (1 c. à soupe) de gingembre moulu

400 g (14 oz) de nouilles de riz

1 carotte, pelée et râpée en longs filaments

12 feuilles de menthe, déchiquetées

12 feuilles de riz rondes

SAUCE

15 g (1 c. à soupe) de beurre d'arachide

30 ml (2 c. à soupe) de sauce soya faible en sodium

12 g (1 c. à soupe) de sucre

SUGGESTION

Servez les rouleaux accompagnés d'une salade ou d'autres légumes au choix.

Valeur nutritive par portion	
Teneur	
Calories 520	
Lipides 7,5 g	
Sodium 610 mg	
Glucides 90 g	
fibres 2 g	
Protéines 20 g	

FILET DE PORC
avec salade de courgettes

4 portions • PRÉPARATION : 10 minutes • CUISSON : 30 à 40 minutes

INGRÉDIENTS

1 gros ou 2 petits filets de porc
(environ 454 g [1 lb])

15 ml (1 c. à soupe) de moutarde
de Dijon

30 ml (2 c. à soupe) de miel

1 oignon, haché

4 pommes de terre, coupées en dés

3 courgettes, épluchées

310 g (2 tasses) de tomates cerises,
coupées en deux

15 ml (1 c. à soupe) d'huile d'olive

5 ml (1 c. à thé) de jus de citron frais

5 g (1 c. à soupe) de parmesan râpé

ASSAISONNEMENTS

Sel et poivre

10 ml (2 c. à thé) de thym frais
ou séché

PRÉPARATION

Faire chauffer le four à environ 180 °C
(350 °F).

Placer le filet de porc dans un plat allant
au four et le badigeonner de moutarde de
Dijon puis de miel. Saler, poivrer et ajouter
le thym sur le filet. Déposer l'oignon et les
pommes de terre autour du porc. Cuire au
four pendant environ 30 à 40 minutes
(selon la grosseur du morceau de viande)
jusqu'à ce que le porc soit encore un peu
rosé à l'intérieur.

À la mandoline ou avec une large râpe,
préparer de longues lanières de courgettes.
Dans un bol, mettre les courgettes, les
tomates, l'huile d'olive, le jus de citron,
le parmesan, du sel et du poivre. Bien
mélanger le tout.

Une fois le porc cuit à point, le sortir du
four et le laisser reposer enveloppé dans
un papier d'aluminium pendant environ
5 minutes.

Servir le porc avec la salade de courgettes.

Valeur nutritive par portion	
Teneur	
Calories 350	
Lipides 6,5 g	
Sodium 180 mg	
Glucides 40 g	
fibres 5 g	
Protéines 33 g	

4 portions • PRÉPARATION : 15 minutes • CUISSON : 30 minutes

PRÉPARATION

Dans une casserole, mettre le quinoa avec 750 ml (3 tasses) d'eau et le bouillon de poulet. Porter à ébullition puis baisser le feu à moyen-doux et laisser cuire pendant 20 minutes.

Couper les blocs de tofu sur le sens de la longueur pour faire des lanières à la manière de frites.

Dans un bol, mélanger les graines de sésame avec l'aneth, la poudre d'ail, du sel et du poivre. Tremper les bâtonnets de tofu dans le mélange de graines de sésame pour bien les enrober.

Faire cuire à 180 °C (350 °F) sur une plaque au milieu du four pendant 10 minutes en les tournant à mi-cuisson, puis les passer sous le gril pendant 2 minutes pour griller les graines de sésame.

Dans un bol, mélanger le quinoa cuit, les épinards, les clémentines, les noix de cajou, l'huile d'olive et le vinaigre balsamique. Saler, poivrer, puis bien mélanger.

Préparer la sauce en mélangeant tous les ingrédients de la trempette.

Servir le tofu avec la trempette et la salade de quinoa.

INGRÉDIENTS

270 g (1 ½ tasse) de quinoa cru, rincé

15 ml (1 c. à soupe) de bouillon de poulet en poudre

2 blocs de 300 g (10 ½ oz) de tofu ferme

85 g (½ tasse) de graines de sésame

30 g (1 tasse) de jeunes pousses d'épinards

260 g (1 tasse) de chair de clémentines

35 g (¼ tasse) de noix de cajou

15 ml (1 c. à soupe) d'huile d'olive

5 ml (1 c. à thé) de vinaigre balsamique

TREMPETTE

45 g (3 c. à soupe) de yogourt nature

15 ml (1 c. à soupe) de sauce soya faible en sodium

5 ml (1 c. à thé) de sirop d'érable

ASSAISONNEMENTS

15 ml (1 c. à soupe) d'aneth séché

15 ml (1 c. à soupe) de poudre d'ail

Sel et poivre

INFO GLYCÉMIE

. . . .

Le quinoa est une céréale intéressante pour aider à contrôler la glycémie. Il est riche en glucides complexes et est une bonne source de fibres et de protéines. Le quinoa remplace facilement le riz et les pâtes dans plusieurs mets.

Valeur nutritive par portion	
Teneur	
Calories 588	
Lipides 32 g	
Sodium 484 mg	
Glucides 62 g	
fibres 8 g	
Protéines 37 g	

MOUSSE
de thon

2 portions • PRÉPARATION : 5 minutes

INGRÉDIENTS

1 boîte de 170 g (6 oz) de thon, égouttée

30 g (2 c. à soupe) de yogourt grec nature

5 ml (1 c. à thé) de moutarde de Dijon

ASSAISONNEMENTS

15 ml (1 c. à soupe) de paprika

15 ml (1 c. à soupe) de poudre d'ail

PRÉPARATION

Au pied-mélangeur ou au robot culinaire, mélanger tous les ingrédients pour obtenir une mousse.

. . . .

SUGGESTION

Servez la mousse de thon avec des craquelins riches en fibres et avec des crudités.

INFO GLYCÉMIE

Le thon est une excellente source de protéines et d'oméga-3. Certaines études ont également démontré que consommer du poisson régulièrement aiderait à mieux contrôler la glycémie. Quoi qu'il en soit, le thon reste un bon dépanneur pour les repas rapides et il vous permettra d'être rassasié et de garder un bon niveau d'énergie pour le reste de la journée.

Valeur nutritive par portion	
Teneur	
Calories 120	
Lipides 3 g	
Sodium 87 mg	
Glucides 1 g	
fibres 0 g	
Protéines 21 g	

LANIÈRES DE BŒUF
teriyaki

4 portions • PRÉPARATION : 15 minutes • CUISSON : 20 minutes

INGRÉDIENTS

1 oignon, haché

15 ml (1 c. à soupe) de bouillon de poulet en poudre

190 g (1 tasse) de riz brun cru à grains longs

60 ml (¼ tasse) de sauce soya faible en sodium

30 ml (2 c. à soupe) de gingembre frais râpé

25 g (2 c. à soupe) de cassonade

1 gousse d'ail, hachée

7 g (1 c. à soupe) de fécule de maïs

15 ml (1 c. à soupe) d'huile de canola

3 steaks minces (environ 500 g [17 oz]), coupés en lanières

2 poivrons rouges, coupés en lanières

100 g (1 tasse) de brocoli en morceaux

ASSAISONNEMENT

15 ml (1 c. à soupe) de thym séché

PRÉPARATION

Dans une casserole, faire revenir l'oignon haché dans un peu d'huile.

Ajouter ensuite 500 ml (2 tasses) d'eau, le bouillon de poulet, le thym et le riz. Bien mélanger, couvrir et amener à ébullition. Baisser à feu doux et laisser cuire pendant 15 minutes.

Pendant ce temps, dans une tasse à mesurer, mélanger la sauce soya, le gingembre, la cassonade, l'ail, 250 ml (1 tasse) d'eau et la fécule de maïs.

Dans une poêle à feu élevé, chauffer l'huile de canola et saisir les lanières de bœuf pendant 1 minute de chaque côté. Baisser le feu et laisser cuire pendant 3 minutes.

Ajouter ensuite les légumes et la sauce teriyaki. Faire cuire à feu moyen jusqu'à épaississement de la sauce pendant environ 2 minutes.

Servir le bœuf avec le riz.

Valeur nutritive par portion

Teneur

Calories 412

Lipides 9 g

Sodium 960 mg

Glucides 55 g

fibres 4 g

Protéines 27 g

SALADE MEXICAINE
dans son bol de tortilla

4 portions • PRÉPARATION : 10 minutes • CUISSON : 15 minutes

INGRÉDIENTS

4 petites tortillas de blé entier

1 boîte de 540 ml (19 oz)
de légumineuses mélangées,
égouttées et rincées

½ boîte de 540 ml (19 oz) de maïs
en grains

½ boîte de 796 ml (28 oz) de tomates
en dés

1 poivron vert, coupé en morceaux

50 g (½ tasse) de fromage râpé

120 g (2 tasses) de laitue hachée

ASSAISONNEMENTS

15 ml (1 c. à soupe) de poudre d'ail

15 ml (1 c. à soupe) de basilic séché

Sel et poivre

PRÉPARATION

Préchauffer le four à 180 °C (350 °F).

Placer les tortillas dans des bols allant au four et presser pour qu'elles épousent la forme du bol. Faire cuire au centre du four pendant 10 à 15 minutes.

Pendant ce temps, mélanger les légumineuses, les assaisonnements et les légumes. Faire chauffer au four à micro-ondes pendant 3 à 4 minutes en remuant toutes les minutes.

Une fois les bols de tortilla prêts, les garnir de légumineuses et de fromage râpé, puis terminer par la laitue hachée.

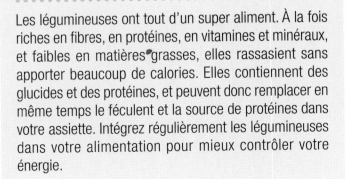

INFO GLYCÉMIE

Les légumineuses ont tout d'un super aliment. À la fois riches en fibres, en protéines, en vitamines et minéraux, et faibles en matières grasses, elles rassasient sans apporter beaucoup de calories. Elles contiennent des glucides et des protéines, et peuvent donc remplacer en même temps le féculent et la source de protéines dans votre assiette. Intégrez régulièrement les légumineuses dans votre alimentation pour mieux contrôler votre énergie.

Valeur nutritive par portion

Teneur	
Calories 350	
Lipides 7 g	
Sodium 386 mg	
Glucides 60 g	
fibres 11 g	
Protéines 20 g	

SALADE DE QUINOA
au poulet

4 portions • PRÉPARATION : 15 minutes • CUISSON : 40 minutes

INGRÉDIENTS

90 g (½ tasse) de quinoa cru

15 ml (1 c. à soupe) de bouillon de poulet en poudre

15 ml (1 c. à soupe) d'huile d'olive

4 petites poitrines de poulet (environ 500 g [17 oz]), coupées en lanières

1 boîte de 796 ml (28 oz) de tomates en dés

2 gousses d'ail, hachées

1 poivron vert, coupé en morceaux

200 g (2 tasses) de brocoli

15 ml (1 c. à soupe) de jus de citron

ASSAISONNEMENTS

15 ml (1 c. à soupe) de persil séché

15 ml (1 c. à soupe) de basilic

Sel et poivre

PRÉPARATION

Faire cuire le quinoa avec 375 ml (1 ½ tasse) d'eau et le bouillon de poulet. Amener à ébullition et cuire pendant 10 à 15 minutes.

Pendant ce temps, dans une poêle, faire chauffer l'huile d'olive et cuire le poulet avec les assaisonnements.

Une fois le quinoa cuit, ajouter le poulet, les tomates, l'ail, le poivron vert et le brocoli dans la casserole. Cuire à feu doux pendant 4 à 5 minutes. Ajouter ensuite le jus de citron. Bien mélanger.

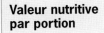

INFO GLYCÉMIE

Le quinoa est une des céréales les plus riches en protéines. Également riche en fibres, le quinoa permet de mieux contrôler l'appétit et le niveau d'énergie. C'est aussi une excellente source de zinc qui participe à la régulation de l'insuline.

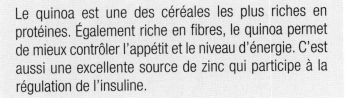

Valeur nutritive par portion	
Teneur	
Calories 440	
Lipides 9 g	
Sodium 644 mg	
Glucides 50 g	
fibres 9 g	
Protéines 42 g	

TILAPIA
à la sauce au citron

4 portions • **PRÉPARATION** : 10 minutes • **CUISSON** : 15 minutes

INGRÉDIENTS

190 g (1 tasse) de riz brun non cuit

80 ml (⅓ tasse) de jus de citron frais

500 ml (2 tasses) de lait

Le zeste de 1 citron

37 g (3 c. à soupe) de sucre

15 g (2 c. à soupe) de fécule de maïs

15 ml (1 c. à soupe) d'huile de canola

4 petits ou 2 gros filets de tilapia (environ 500 g [17 oz]) ou autre poisson blanc

1 petit oignon, haché

130 g (4 tasses) de jeunes pousses d'épinards

ASSAISONNEMENTS

Sel et poivre

PRÉPARATION

Dans une grande casserole, amener de l'eau à ébullition puis y mettre le riz. Faire cuire pendant 5 minutes, puis drainer l'eau restante.

Dans une tasse à mesurer, mélanger le jus de citron, le lait, le zeste, le sucre et la fécule de maïs.

Dans une grande poêle, à haute température, chauffer l'huile de canola et faire revenir l'oignon. Ajouter ensuite les filets de tilapia et cuire pendant 1 minute de chaque côté. Baisser le feu à moyen-doux et laisser cuire 5 minutes. Ajouter la sauce au citron et laisser épaissir pendant 2 minutes.

À la dernière minute, ajouter les épinards et laisser tomber environ 1 minute. Bien mélanger avec la sauce.

Napper le riz de sauce, d'épinards et de poisson, et servir.

INFO GLYCÉMIE

Plusieurs études démontrent que les protéines contenues dans le poisson aideraient à réguler l'insuline, et ainsi à mieux réguler le taux de sucre en diminuant les risques d'hypoglycémie. Le poisson contient également de bonnes matières grasses et est une excellente source de protéines. C'est un bon substitut à la viande.

Valeur nutritive par portion	
Teneur	
Calories 505	
Lipides 5,4 g	
Sodium 147 mg	
Glucides 62 g	
fibres 3 g	
Protéines 34 g	

MOUSSE DE TOFU
avec pita

4 portions • **PRÉPARATION** : 5 minutes • **CUISSON** : 10 minutes

INGRÉDIENTS

4 petits pains pitas de blé entier

15 ml (1 c. à soupe) d'huile de canola

2 blocs de 349 g (12 oz) de tofu soyeux ferme

60 g (¼ tasse) de yogourt grec nature

30 ml (2 c. à soupe) de moutarde de Dijon

250 g (2 tasses) de céleri coupé en bâtonnets

250 g (2 tasses) de carottes coupées en bâtonnets

ASSAISONNEMENTS

15 ml (1 c. à soupe) de paprika

Sel et poivre

15 ml (1 c. à soupe) d'aneth séché

15 ml (1 c. à soupe) de thym séché

PRÉPARATION

Préchauffer le four à 180 °C (350 °F).

Badigeonner les pitas d'huile des deux côtés et saupoudrer de paprika et de sel. Couper les pitas en pointes et faire cuire sur une plaque allant au four pendant 10 minutes ou jusqu'à ce que les pitas soient croustillants.

Pendant ce temps, au robot culinaire, mélanger le tofu, le yogourt, la moutarde de Dijon, l'aneth, le thym, du sel et du poivre.

Servir la mousse avec les pitas et les crudités en accompagnement.

. . . .

CONSEIL PRATIQUE

La mousse de tofu se conserve dans un plat fermé hermétiquement au réfrigérateur jusqu'à 5 jours. C'est une bonne idée pour tremper les légumes et les craquelins en collation.

Valeur nutritive par portion
Teneur
Calories 266
Lipides 9,8 g
Sodium 420 mg
Glucides 30 g
fibres 5 g
Protéines 17 g

OMELETTE
aux deux fromages

2 portions • PRÉPARATION : 10 minutes • CUISSON : 10 minutes

INGRÉDIENTS

4 œufs

60 ml (¼ tasse) de lait

20 g (¼ tasse) de champignons en morceaux

30 g (¼ tasse) de cheddar fort râpé

30 g (¼ tasse) de fromage suisse en morceaux

ASSAISONNEMENTS

15 ml (1 c. à soupe) de persil séché

Sel et poivre

PRÉPARATION

Dans un bol, mélanger les œufs, le lait et les assaisonnements.

Dans une poêle chaude, verser le mélange d'œufs et baisser le feu. Faire cuire pendant environ 8 minutes jusqu'à ce que l'omelette se tienne.

Garnir l'omelette des champignons et des fromages, puis la plier en deux et poursuivre la cuisson pendant 2 à 3 minutes.

. . . .

SUGGESTION

Servez l'omelette avec 1 ou 2 tranches de pain de grains entiers par personne et une salade verte.

INFO GLYCÉMIE

. . . .

Bonne source de protéines, les œufs sont intéressants pour remplacer la viande. Riches en nutriments, ils permettront un bon contrôle de l'énergie et de la glycémie.

Valeur nutritive par portion
Teneur
Calories 445
Lipides 22 g
Sodium 570 mg
Glucides 31 g
fibres 6 g
Protéines 30 g

CANNELLONIS
tournesol

6 portions • **PRÉPARATION** : 15 minutes • **CUISSON** : 40 minutes

INGRÉDIENTS

210 g (1 ½ tasse) de graines de tournesol non salées

1 petit oignon, haché

485 g (2 tasses) de fromage cottage

100 g (3 tasses) d'épinards frais

12 cannellonis

750 ml (3 tasses) de sauce tomate maison ou du commerce

250 g (2 tasses) de fromage râpé

ASSAISONNEMENTS

15 ml (1 c. à soupe) de poudre d'ail

15 ml (1 c. à soupe) de basilic séché

Sel et poivre

PRÉPARATION

Préchauffer le four à 180 °C (350 °F).

Broyer les graines de tournesol au robot culinaire et ajouter l'oignon, le fromage cottage, les épinards et les assaisonnements. Mélanger jusqu'à consistance homogène.

Farcir les cannellonis du mélange et les étendre dans un plat allant au four. Verser le reste de la garniture de cottage autour des cannellonis.

Dans un grand bol, mélanger la sauce tomate avec 500 ml (2 tasses) d'eau. Verser la sauce tomate diluée sur les cannellonis. Saupoudrer de fromage puis faire cuire au centre du four pendant environ 40 minutes.

. . . .

SUGGESTION

Vous pouvez servir les cannellonis avec une salade verte.

Valeur nutritive par portion	
Teneur	
Calories 620	
Lipides 34 g	
Sodium 860 mg	
Glucides 52 g	
fibres 10 g	
Protéines 35 g	

PÂTES
aux saucisses italiennes

4 portions • PRÉPARATION : 15 minutes • CUISSON : 30 minutes

INGRÉDIENTS

280 g (2 tasses) de macaronis non cuits de blé entier

4 grosses saucisses italiennes

1 petit oignon, haché

1 boîte de 796 ml (28 oz) de tomates en dés faibles en sodium

2 poivrons rouges, coupés en morceaux

25 g (¼ tasse) de parmesan

ASSAISONNEMENTS

15 ml (1 c. à soupe) de poudre d'ail

15 ml (1 c. à soupe) de basilic séché

Sel et poivre

PRÉPARATION

Dans une grande casserole, faire cuire les macaronis dans de l'eau bouillante pendant environ 15 minutes en remuant constamment.

Défaire les saucisses crues en fendant la membrane avec un couteau et en sortant la chair des saucisses.

Dans une poêle à feu moyen, faire revenir l'oignon dans un peu d'huile puis ajouter la saucisse et cuire la chair en la défaisant bien. Après 10 minutes de cuisson, ajouter les tomates, les poivrons et les assaisonnements. Faire cuire 5 minutes supplémentaires.

Égoutter les pâtes et les remettre dans la casserole. Ajouter la saucisse et le parmesan, et bien mélanger.

Valeur nutritive par portion	
Teneur	
Calories 548	
Lipides 22 g	
Sodium 630 mg	
Glucides 65 g	
fibres 9 g	
Protéines 24 g	

SOUPE RAMEN
au porc

6 portions • PRÉPARATION : 15 minutes • CUISSON : 30 minutes

INGRÉDIENTS

4 petites côtelettes de porc (environ 400 g [14 oz])

15 ml (1 c. à soupe) d'huile de sésame

1 oignon vert, haché

1 petit oignon, haché

1 l (4 tasses) de bouillon de poulet réduit en sodium

30 ml (2 c. à soupe) de gingembre haché

40 g (½ tasse) de champignons en morceaux

15 ml (1 c. à soupe) de sauce soya faible en sodium

1 carotte, hachée

400 g (14 oz) de nouilles de riz ou de nouilles chinoises aux œufs

PRÉPARATION

Enlever l'excès de gras sur les côtelettes et les couper en fines lanières.

Dans une casserole, chauffer l'huile et faire revenir l'oignon vert et l'oignon. Ajouter les lanières de porc et faire revenir pendant 2 à 3 minutes.

Ajouter ensuite tous les autres ingrédients, sauf les nouilles de riz, et laisser mijoter à feu doux pendant 20 à 25 minutes.

À la dernière minute, ajouter les nouilles de riz au bouillon. Faire cuire 2 minutes, puis servir.

Valeur nutritive par portion

Teneur

Calories 360

Lipides 5 g

Sodium 650 mg

Glucides 60 g

 fibres 2 g

Protéines 16 g

FROMAGE DE CHÈVRE
aux herbes

5 portions • **PRÉPARATION** : 5 minutes

INGRÉDIENTS

1 paquet de 125 g (4 ½ oz)
de fromage de chèvre nature

Craquelins de blé entier
(6 à 8 par personne)

200 g (2 tasses) de chou-fleur coupé
en morceaux

250 g (2 tasses) de carottes coupées
en bâtonnets

75 g (½ tasse) d'amandes entières

60 g (½ tasse) de noix de soya

ASSAISONNEMENTS

15 ml (1 c. à soupe) de basilic séché

15 ml (1 c. à soupe) de thym séché

15 ml (1 c. à soupe) d'origan séché

Sel et poivre

PRÉPARATION

Mélanger le fromage de chèvre et les assaisonnements à l'aide d'une fourchette pour bien intégrer les herbes.

Tartiner les craquelins de blé entier et servir avec les crudités et les noix.

INFO GLYCÉMIE

Plusieurs études ont démontré que de consommer régulièrement des amandes aidait à contrôler la glycémie. Une bonne raison de l'ajouter à vos repas et vos collations.

Valeur nutritive par portion	
Teneur	
Calories 307	
Lipides 17 g	
Sodium 315 mg	
Glucides 29 g	
fibres 7 g	
Protéines 14 g	

BOULETTES DE VEAU
avec du riz

6 portions • PRÉPARATION : 15 minutes • CUISSON : 30 minutes

PRÉPARATION

Préchauffer le four à 180 °C (350 °F).

Dans une casserole, faire revenir l'oignon quelques minutes dans l'huile de canola. Ajouter 500 ml (2 tasses) d'eau, le bouillon de poulet et le riz. Amener à ébullition et laisser mijoter pendant 15 à 20 minutes à feu doux sans remuer. Retirer du feu dès que le bouillon est absorbé.

Pendant la cuisson du riz, mélanger le veau haché, la chapelure, le poivron vert, la moutarde de Dijon, la poudre d'ail et l'origan dans un bol. Former de petites boulettes et les déposer dans un plat allant au four.

Répartir les fèves et le chou-fleur autour des boulettes. Verser la boîte de tomates sur les boulettes, parsemer de fromage râpé et de persil. Cuire au four pendant 20 minutes.

Servir les boulettes et les légumes sur le riz.

INGRÉDIENTS

1 oignon, haché

15 ml (1 c. à soupe) d'huile de canola

15 ml (1 c. à soupe) de bouillon de poulet en poudre

190 g (1 tasse) de riz brun non cuit

Environ 454 g (1 lb) de veau haché

100 g (1 tasse) de chapelure nature

1 poivron vert, haché finement

15 ml (1 c. à soupe) de moutarde de Dijon

390 g (2 tasses) de fèves vertes coupées en morceaux

200 g (2 tasses) de chou-fleur coupé en morceaux

1 boîte de 796 ml (28 oz) de tomates en dés faibles en sodium

100 g (1 tasse) de fromage râpé

ASSAISONNEMENTS

15 ml (1 c. à soupe) de poudre d'ail

15 ml (1 c. à soupe) d'origan séché

15 ml (1 c. à soupe) de persil séché

Sel et poivre

Valeur nutritive par portion	
Teneur	
Calories 440	
Lipides 14 g	
Sodium 730 mg	
Glucides 53 g	
fibres 5 g	
Protéines 27 g	

CROQUETTES DE LÉGUMINEUSES
avec salade

4 portions • PRÉPARATION : 20 minutes • CUISSON : 15 minutes

PRÉPARATION

Au robot culinaire, mélanger les lentilles, l'oignon, les flocons d'avoine, la carotte, les œufs et les assaisonnements jusqu'à l'obtention d'une consistance lisse. Façonner 8 petites croquettes avec les mains. Dans une poêle, faire cuire dans l'huile les croquettes pendant 3 à 4 minutes de chaque côté.

Pendant ce temps, préparer la salade. Mélanger la laitue, le poivron, le brocoli. Ajouter la vinaigrette.

Servir 2 croquettes par personne accompagnées de la salade.

INGRÉDIENTS

2 boîtes de 540 ml (19 oz) de lentilles vertes, rincées et égouttées

1 petit oignon, coupé en morceaux

90 g (1 tasse) de flocons d'avoine (cuisson lente)

1 carotte, râpée

2 œufs

15 ml (1 c. à soupe) d'huile de canola

240 g (4 tasses) de laitue romaine, déchiquetée avec les mains

1 poivron rouge, coupé en morceaux

100 g (1 tasse) de brocoli, coupé en morceaux

45 ml (3 c. à soupe) de vinaigrette au goût

ASSAISONNEMENTS

15 ml (1 c. à soupe) de poudre d'ail

15 ml (1 c. à soupe) de basilic

15 ml (1 c. à soupe) de paprika

Valeur nutritive par portion	
Teneur	
Calories 486	
Lipides 10 g	
Sodium 185 mg	
Glucides 74 g	
fibres 15 g	
Protéines 29 g	

CRÊPES ROULÉES
au jambon et aux asperges

4 portions • PRÉPARATION : 20 minutes • CUISSON : 15 minutes

INGRÉDIENTS

225 g (1 ½ tasse) de farine tout usage non blanchie

30 g (¼ tasse) de son d'avoine ou de son de blé

3 œufs

500 ml (2 tasses) de lait

40 asperges fraîches, congelées ou en conserve

16 fines tranches de jambon faible en sodium (150 à 200 g [5 à 7 oz])

200 g (2 tasses) de fromage suisse râpé

PRÉPARATION

Préparer la pâte à crêpes en mélangeant la farine, le son, les œufs et le lait. Bien battre la pâte. Dans une poêle chaude légèrement huilée, verser 125 ml (½ tasse) de pâte à la fois pour faire 8 crêpes très minces.

Pendant ce temps, faire cuire les asperges dans de l'eau bouillante pendant environ 8 à 10 minutes si elles sont fraîches. Si elles sont congelées, les faire décongeler au four à micro-ondes pendant 2 minutes.

Assemblage : Dans chaque crêpe, déposer 2 tranches de jambon, 5 asperges et 25 g (¼ tasse) de fromage. Rouler et mettre dans une assiette allant au four à micro-ondes. Mettre toutes les crêpes pendant 1 à 2 minutes au four à micro-ondes pour faire fondre le fromage.

Servir 2 crêpes par personne.

• • • • • • • • • • • • • •

SUGGESTION

Accompagnez vos crêpes d'une belle salade de verdure.

Valeur nutritive par portion	
Teneur	
Calories 508	
Lipides 11 g	
Sodium 800 mg	
Glucides 55 g	
fibres 5 g	
Protéines 48 g	

TRUITE
à la méditerranéenne

2 portions • **PRÉPARATION** : 10 minutes • **CUISSON** : 30 minutes

INGRÉDIENTS

1 gros filet de truite saumonée
(environ 250 g [9 oz])

1 petit oignon, coupé en rondelles

1 tomate, coupée en tranches

80 g (½ tasse) d'olives noires
Kalamata, dénoyautées et coupées
en morceaux

15 ml (1 c. à soupe) d'huile d'olive

130 g (1 tasse) de courgettes, coupées
en dés

1 gousse d'ail, écrasée

90 g (1 tasse) de brocoli, coupé
en morceaux

135 g (¾ tasse) de couscous
de blé entier

ASSAISONNEMENTS

2 ou 3 feuilles de basilic frais

Sel et poivre

15 ml (1 c. à soupe) de paprika

5 ml (1 c. à thé) de cari

PRÉPARATION

Placer le filet de truite sur un grand morceau de papier d'aluminium.

Ajouter l'oignon, la tomate, les olives et le basilic sur le filet. Verser un filet d'huile d'olive, saler et poivrer au goût. Refermer le papier d'aluminium pour former une papillote. Faire cuire au four, à 160 °C (320 °F), pendant 20 à 25 minutes selon la grosseur du filet.

Pendant ce temps, dans une casserole, faire revenir dans un peu d'huile les courgettes, l'ail et le brocoli. Ajouter 310 ml (1 ¼ tasse) d'eau bouillante, le couscous, le paprika et le cari. Bien mélanger et laisser reposer pendant 5 minutes.

Servir le poisson avec le couscous aux légumes.

Valeur nutritive par portion	
Teneur	
Calories 460	
Lipides 12 g	
Sodium 195 mg	
Glucides 68 g	
fibres 7 g	
Protéines 21 g	

CASSEROLE DE POULET
au citron

4 portions • PRÉPARATION : 15 minutes • CUISSON : 30 minutes

INGRÉDIENTS

Environ 450 g (16 oz) de cuisses de poulet

20 pommes de terre grelots

2 citrons, coupés en quartiers

200 g (2 tasses) de brocoli, coupé en morceaux

160 g (2 tasses) de champignons

ASSAISONNEMENTS

30 ml (2 c. à soupe) de thym séché

Sel et poivre

PRÉPARATION

Préchauffer le four à 180 °C (350 °F).

Dans un plat allant au four, déposer les cuisses de poulet, les pommes de terre, les morceaux de citron, le brocoli et les champignons. Saupoudrer de thym, de sel et de poivre.

Faire cuire le tout recouvert d'un papier d'aluminium pendant 20 minutes. Enlever le papier et poursuivre la cuisson jusqu'à ce que l'os du poulet se détache facilement.

. . . .

CONSEIL PRATIQUE

Cette recette peut être préparée avec toutes sortes de légumes. Profitez-en pour cuisiner les légumes que vous avez dans le réfrigérateur.

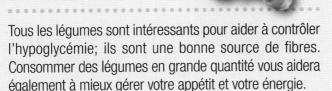

INFO GLYCÉMIE

Tous les légumes sont intéressants pour aider à contrôler l'hypoglycémie; ils sont une bonne source de fibres. Consommer des légumes en grande quantité vous aidera également à mieux gérer votre appétit et votre énergie.

Valeur nutritive par portion	
Teneur	
Calories 310	
Lipides 6 g	
Sodium 140 mg	
Glucides 37 g	
fibres 7 g	
Protéines 32 g	

CREVETTES
à la noix de coco

4 portions • PRÉPARATION : 15 minutes • CUISSON : 15 minutes

PRÉPARATION

Dans une casserole, amener à ébullition le lait de coco, le curcuma et le cari. Ajouter le couscous, éteindre le feu et laisser gonfler pendant 5 minutes.

Pendant ce temps, tremper les crevettes dans les œufs puis dans la noix de coco mélangée avec le zeste de lime.

Dans une poêle, faire chauffer l'huile à feu moyen-élevé, puis faire cuire les crevettes environ 1 minute de chaque côté. Ajouter les brocolis et faire rôtir 1 à 2 minutes.

Servir les crevettes nappées de jus de lime avec le couscous et les brocolis.

INGRÉDIENTS

250 ml (1 tasse) de lait de coco

180 g (1 tasse) de couscous de blé entier

450 g (3 tasses) de crevettes nordiques cuites et décongelées

2 œufs, battus

75 g (1 tasse) de noix de coco râpée

Le zeste et le jus de 1 lime

30 ml (2 c. à soupe) d'huile de canola

200 g (2 tasses) de brocoli

ASSAISONNEMENTS

2 ml (½ c. à thé) de curcuma

2 ml (½ c. à thé) de poudre de cari

Sel et poivre

Valeur nutritive par portion	
Teneur	
Calories 620	
Lipides 34 g	
Sodium 233 mg	
Glucides 47 g	
fibres 6 g	
Protéines 35 g	

BOULES CACAO
sans cuisson

15 portions • PRÉPARATION : 20 minutes

INGRÉDIENTS

40 g (¼ tasse) de graines de chia

125 ml (½ tasse) de compote de pommes sans sucre ajouté

120 g (1 tasse) de poudre d'amandes ou d'amandes moulues finement

80 g (½ tasse) de noisettes (ou autre noix au goût) concassées en petits morceaux

20 g (3 c. à soupe) de cacao en poudre sans sucre ajouté

50 g (¼ tasse) de sucre blanc

60 g (½ tasse) de son d'avoine

PRÉPARATION

Mélanger les graines de chia et la compote de pommes. Laisser reposer 10 minutes.

Pendant ce temps, mélanger la poudre d'amandes, les noisettes, le cacao, le sucre et le son d'avoine.

Intégrer ensuite le mélange humide au mélange sec. Façonner de petites boules avec les mains.

. . . .

CONSEIL PRATIQUE

Vous pouvez conserver ces boules de cacao environ 1 semaine au réfrigérateur, ou les congeler.

INFO GLYCÉMIE

La graine de chia est une petite bombe de nutriments. Riche en oméga-3, en fibres, en calcium, en vitamine B9 et en antioxydants, elle permet, grâce aux fibres qu'elle contient, de ralentir la digestion et de mieux réguler la glycémie en évitant les baisses de sucre.

Valeur nutritive par portion	
Teneur	
Calories 85	
Lipides 4,5 g	
Sodium 1 mg	
Glucides 10 g	
fibres 2 g	
Protéines 4 g	

SMOOTHIE
tropical

1 portion • PRÉPARATION : 5 minutes

INGRÉDIENTS

130 g (½ tasse) de yogourt nature
ou de yogourt grec nature

80 g (½ tasse) d'ananas frais
ou en conserve

½ banane

60 g (½ tasse) de son d'avoine

PRÉPARATION

Mélanger tous les ingrédients au mélangeur ou au robot culinaire, et servir.

. . . .

VARIANTE

Les fruits suivants sont délicieux en smoothie : framboises, bleuets, bananes, mangues, cerises, fraises, pêches et melons. N'hésitez pas à choisir différents fruits non seulement pour le plaisir, mais aussi pour la variété nutritionnelle.

INFO GLYCÉMIE

. . . .

Riche en bonnes bactéries (probiotiques) en protéines, en calcium et en plusieurs autres nutriments, le yogourt est un aliment complet à intégrer à votre alimentation pour mieux gérer votre hypoglycémie.

Valeur nutritive par portion	
Teneur	
Calories 316	
Lipides 6 g	
Sodium 95 mg	
Glucides 70 g	
fibres 8 g	
Protéines 16 g	

PANNA COTTA
à l'orange

4 portions • PRÉPARATION : 20 minutes, plus 1 heure de repos • CUISSON : 15 minutes

PRÉPARATION

Mélanger la gélatine avec 60 ml (¼ tasse) de jus d'orange et laisser gonfler pendant 10 minutes. Dans un chaudron, réchauffer le reste du jus sans le faire bouillir. Retirer du feu et incorporer la gélatine en remuant jusqu'à dissolution. Laisser refroidir pendant 5 minutes.

Tout en fouettant le jus, ajouter le zeste, le yogourt et 15 ml (1 c. à soupe) de sirop d'érable. Verser dans quatre petits ramequins ou plats individuels et laisser prendre au réfrigérateur pendant environ 1 heure.

Dans une casserole, à feu moyen, faire chauffer le reste du sirop d'érable et la chair des oranges pendant 15 minutes. Servir la compote d'orange sur la panna cotta préalablement solidifiée.

INGRÉDIENTS

1 sachet de 7 g de gélatine sans saveur

125 ml (½ tasse) de jus d'orange 100 % pur

Le zeste de 1 orange

260 g (1 tasse) de yogourt nature

45 ml (3 c. à soupe) de sirop d'érable

La chair de 2 oranges

Valeur nutritive par portion

Teneur

Calories 130

Lipides 1 g

Sodium 50 mg

Glucides 27 g

fibres 2 g

Protéines 4 g

MUFFINS À L'ANANAS
et aux courgettes

18 portions • PRÉPARATION : 20 minutes • CUISSON : 20 minutes

INGRÉDIENTS

300 g (2 tasses) de farine tout usage
non blanchie

60 g (½ tasse) de son de blé
ou de son d'avoine

50 g (¼ tasse) de cassonade

15 ml (1 c. à soupe) de levure
chimique

2 œufs

30 ml (2 c. à soupe) d'huile de canola

170 g (1 tasse) d'ananas coupé
en morceaux

260 g (2 tasses) de courgettes râpées

375 ml (1 ½ tasse) de lait

PRÉPARATION

Préchauffer le four à 180 °C (350 °F).

Mélanger la farine, le son, la cassonade et
la levure chimique.

Au batteur à main, mélanger les œufs et
l'huile. Incorporer ensuite à la cuillère les
ananas et les courgettes.

Intégrer le mélange humide au mélange
sec en alternance avec le lait.

Verser dans les moules à muffins et faire
cuire au centre du four pendant 20 minutes.

. . . .

VARIANTES

- Vous désirez rendre votre muffin plus
  nutritif ? Ajoutez des noix ou des graines
  à la recette.
- Vous désirez une touche plus sucrée ?
  Incorporez-y des fruits séchés.

Valeur nutritive par portion	
Teneur	
Calories 104	
Lipides 3 g	
Sodium 70 mg	
Glucides 17 g	
fibres 2 g	
Protéines 4 g	

15 portions • PRÉPARATION : 5 minutes • CUISSON : 15 minutes

PRÉPARATION

Préchauffer le four à 180 °C (350 °F).

Mélanger les noix, l'huile et les assaisonnements.

Étaler les noix sur une tôle à biscuits recouverte de papier parchemin. Cuire pendant 10 à 15 minutes en remuant 2 ou 3 fois au cours de la cuisson.

Laisser refroidir avant de déguster.

INGRÉDIENTS

145 g (1 tasse) de noisettes non salées

150 g (1 tasse) d'amandes non salées

110 g (1 tasse) de pacanes non salées

15 ml (1 c. à soupe) d'huile de canola

ASSAISONNEMENTS

15 ml (1 c. à soupe) de paprika

5 ml (1 c. à thé) de poudre de chili

15 ml (1 c. à soupe) de mélange d'épices cajun

Sel

Valeur nutritive par portion

Teneur	
Calories 170	
Lipides 16 g	
Sodium 10 mg	
Glucides 5 g	
fibres 3 g	
Protéines 4 g	

INFO GLYCÉMIE

Les noix, en plus d'être riches en protéines et en fibres, sont d'excellents régulateurs pour la glycémie et l'appétit. Le manganèse, le magnésium et le zinc contenus dans la plupart des noix contribuent au maintien de l'énergie et de la glycémie, et donc diminuent les risques d'hypoglycémie.

8 portions • **PRÉPARATION** : 15 minutes

PRÉPARATION

Mélanger tous les ingrédients et laisser reposer au réfrigérateur au moins pendant 30 minutes avant de servir.

. . . .

VARIANTE

Laissez aller votre imagination. Selon vos goûts, ajoutez des kiwis, de la mangue, des morceaux de pêches ou de poires pour agrémenter votre salade.

INGRÉDIENTS

2 pommes, coupées en morceaux

180 g (1 tasse) de raisins rouges, coupés en deux

2 poires, pelées et coupées en morceaux

1 boîte de 796 ml (28 oz) d'ananas, sans le jus

Le jus de ½ citron

125 ml (½ tasse) de jus d'orange 100 % pur

15 ml (1 c. à soupe) de sirop d'érable

3 feuilles de menthe, déchirées avec les mains (facultatif)

Valeur nutritive par portion	
Teneur	
Calories 98	
Lipides 0,25 g	
Sodium 2 mg	
Glucides 25 g	
fibres 3 g	
Protéines 0,8 g	

INFO GLYCÉMIE

. . . .

Sources de sucres naturels, les fruits vous permettent de consommer le sucre dont vous avez besoin en plus d'une variété de nutriments et de fibres. N'hésitez pas à intégrer 3 à 4 portions de fruits par jour.

CROUSTADE AUX AMANDES
et aux framboises

6 portions • PRÉPARATION : 10 minutes • CUISSON : 15 minutes

INGRÉDIENTS

150 g (1 tasse) d'amandes concassées

90 g (1 tasse) de flocons d'avoine (cuisson lente)

45 ml (3 c. à soupe) de sirop d'érable

45 g (3 c. à soupe) de margarine non hydrogénée

400 g (3 tasses) de framboises congelées ou fraîches

PRÉPARATION

Préchauffer le four à 180 °C (350 °F).

Mélanger grossièrement les amandes, l'avoine, le sirop d'érable et la margarine.

Dans un plat carré allant au four, étendre les framboises et recouvrir du mélange d'amandes. Cuire au centre du four pendant 15 minutes.

INFO GLYCÉMIE

L'avoine est un régulateur naturel pour la glycémie, l'appétit et l'énergie. C'est une céréale parfaite à intégrer dans les desserts, les muffins et les petits-déjeuners.

Valeur nutritive par portion	
Teneur	
Calories 250	
Lipides 15 g	
Sodium 40 mg	
Glucides 23 g	
fibres 7 g	
Protéines 7 g	

Diplômée en biochimie et en nutrition de l'Université Laval, Alexandra Leduc est avant tout une nutritionniste passionnée par les saveurs et soucieuse de la santé de la population. En 2010, elle fonde l'entreprise Makéa (www.makea.ca), qui lui permet d'offrir une gamme de services pour aider la population à manger sainement. La clinique de nutrition Makéa reçoit en consultation différents types de clientèles qui, grâce à des services personnalisés, réussissent à atteindre leurs objectifs de santé.

Alexandra transmet également sa passion pour la santé en donnant des conférences, en participant à des chroniques radio et en collaborant à plusieurs revues, journaux et médias Web. Vous pouvez également consulter ses chroniques et suivre ses conseils sur son site Internet (www.alexandraleduc.com).

Elle aime tout particulièrement développer des recettes santé et savoureuses. Elle est l'auteure de plusieurs livres de cuisine. *Cuisine 5 ingrédients*, sorti en 2012, est un ouvrage parfait pour ceux qui désirent cuisiner sainement, mais rapidement, sans compromettre le goût. *Cuisine camping*, sorti en 2013, s'adresse aux adeptes du plein air qui désirent cuisiner à l'extérieur tout en variant leur alimentation.

En 2011, elle a été nommée « Jeune personnalité d'affaires 2011 – Catégorie services professionnels » lors du concours JPA de la Jeune chambre de commerce de Québec. En mai 2013, elle a également reçu le prix « Jeune femme de mérite 2013 » lors du concours et gala *Femmes de mérite* de la YWCA Québec.

www.alexandraleduc.com

REMERCIEMENTS

Tout d'abord, un immense merci à ma famille et à mon conjoint, sans qui je ne ferais sûrement pas ce que je fais aujourd'hui. Votre soutien et vos encouragements inconditionnels comptent beaucoup pour moi. Merci à ma mère, Christiane, de toujours tester avec plaisir mes recettes; ton aide est toujours si précieuse.

Merci à ma collaboratrice hors pair chez Makéa, Laurie Parent-Drolet. Un grand merci aussi à Alexandra Morneau, nutritionniste. Vous avez testé avec plaisir les recettes. Vous avez également su me guider avec votre expérience clinique en nutrition et avec vos commentaires toujours pertinents.

Un merci tout particulier au Groupe Modus, à Marc et à Isabelle pour votre confiance et pour les beaux projets auxquels vous me permettez de participer; vous me faites vivre une belle expérience. Merci pour votre travail qui aidera sans aucun doute la population à manger plus sainement. Je remercie également l'éditrice adjointe Nolwenn pour ses conseils et suggestions, et les designers graphiques Émilie, Gabrielle et Marianne pour la belle mise en page.

Je ne peux passer sous silence le travail d'André Noël, photographe, qui sait toujours nous mettre l'eau à la bouche avec ses magnifiques photographies.

RESSOURCES
pour les gens atteints d'hypoglycémie

CANADA
Association des hypoglycémiques du Québec
www.hypoglycemie.qc.ca

Fondée en 1977, cette association vise à aider les personnes
atteintes d'hypoglycémie. Des renseignements utiles sont diffusés
à travers des documents, des conférences et des ateliers animés
par des professionnels de la santé.

ÉTATS-UNIS
National Institute of Diabetes and Digestive and Kidney Diseases
www.niddk.nih.gov

FRANCE
Programme national nutrition santé
www.mangerbouger.fr/

SUISSE
Association suisse des diététicien(ne)s diplômé(e)s
www.svde-asdd.ch/fr/index.cfm?treeID=263

BELGIQUE
Plan national nutrition santé
www.monplannutrition.be

INDEX
des recettes

TABLEAU
des équivalences

* 1 c. à thé au Québec équivaut à 1 c. à café en France

QUÉBEC	FRANCE
Beigne	Beignet
Bleuets	Myrtilles
Canneberges	*Cranberries*
Craquelins	*Crackers*
Crème 35 % M.G.	Crème Fleurette entière
Croustade	*Crumble*
Croustilles	*Chips*
Farine de blé entier	Farine de type 110
Farine tout usage non blanchie	Farine type 55
Fécule de maïs	Maïzena
Fèves vertes	Haricots verts
Filet de porc	Filet mignon
Fromage cottage	Fromage ricotta ou fromage blanc
Gruau	Flocons d'avoine
Lait 1 % M.G.	Lait écrémé
Lime	Citron vert
Noix de Grenoble	Noix
Pacane	Noix de pécan
Pain doré	Pain perdu
Papier parchemin	Papier sulfurisé
Popsicle	Sucette glacée
Trempette	*Dip*
Yogourt	Yaourt